BANEROG

Banerog

Hywel Griffiths

y Lolfa

Argraffiad cyntaf: 2009

℗ Hawlfraint Hywel Griffiths a'r Lolfa Cyf., 2009

Dymuna'r cyhoeddwyr gydnabod cymorth ariannol Cyngor
Llyfrau Cymru

Dylunio: Y Lolfa

Rhif Llyfr Safonol Rhyngwladol: 978 1 84771 141 0

Cyhoeddwyd, argraffwyd a rhwymwyd yng Nghymru
gan Y Lolfa Cyf., Talybont, Ceredigion SY24 5HE
gwefan www.ylolfa.com
e-bost ylolfa@ylolfa.com
ffôn 01970 832 304
ffacs 832 782

Diolchiadau

— I Mam, Dad, Gareth a'r teulu cyfan

— I Alaw

— I Eurig am y cyfeillgarwch, y cyngor, a'r cynganeddion

— I'r Glêr

— I dîm ymrsyon y Deheubarth a chriw Crap ar Farddoni

— I griw *Barddas* am yr anogaeth a'r gefnogaeth gyson ac am ganiatáu i mi gynnwys nifer o gerddi a gyhoeddwyd yn y cylchgrawn yn y gyfrol hon

— I olygyddion y *Tafod*, *Tu Chwith*, *Taliesin*, *Golwg* a Gwasg Carreg Gwalch am annog a chyhoeddi nifer o'r cerddi yma

— I Urdd Gobaith Cymru a'r Eisteddfod Genedlaethol am ganiatáu i mi gyhoeddi *Angor, Ffenestr* a *Stryd Pleser*

— I griw *Talwrn y Beirdd* y BBC

— I wasg Y Lolfa am eu gofal manwl

— I Steffan Cravos am y lluniau ar dualen 24, 25, 28, 97 a 111 a'r gwaith celf ar dudalen 47, ac i Aled Griffiths am y llun ar dudalen 86

— I griw Senedd Cymdeithas yr Iaith – 'y llu banerog a'i lumanau'

Cynnwys

Ffynnon

Anesmwyth nawr yw loetran uwch ei phen,
ond dyma'r ffynnon lle bedyddiwyd fi,
y ffynnon a roes ddŵr i'r winllan wen,
lle gwelais wlad yn nwfn ei phurdeb hi.
Mor llonydd, hollol lonydd ydyw'r drych,
ac yn ei dŵr does dim ond awyr las,
gan nad yw'r byd yn gallu codi crych,
a dim yn llifo mewn, na llifo mas.

Heddiw rwyf yn sefyll wrth yr afon,
Byrlymog yw ei dŵr gan fawn y byd,
Ynddi gwelais wragedd, gwelais ddynion
A phlant y Gymru hon, fel ar ben stryd
Yn llifo, troelli, cydio ymhob dim
A'i gario ymaith yn eu chwyldro chwim.

Yr Angel

(wrth gofgolofn rhyfel Aberystwyth)

Mae angel uwch yr heli
Yn llyfnhau hunllefau'r lli
Nad yw'n wyrth i neb ond ni.

Wrth estyn, mae'r cerflun cain
Yn hedeg, er i'w adain
Oddi fry roi nawdd i frain.

Mae'n troi sŵn blêr tyner ton
Hegar Bae Ceredigion
A loes y lli'n barlys llon.

Down o dan ei hadenydd
I gael, ym mreichiau'n gilydd,
Gymesuredd diwedd dydd.

Map

Mae map y tu mewn i 'mhen, a hen hewl
 Fel rhydweli deilen
 A'i thrywydd hi'n wythïen
Nad yw byth yn dod i ben.

Map drwy'r heth at Rhys Gethin, sy'n aros,
 Yn herwr heb fyddin
 Am y gwŷr llwm a gerwin,
Y beirdd o gylch y bwrdd gwin.

Map o lle'm ganed wedyn, nad ydwyf
 O hyd yn ei ddilyn,
 Map fel pryddest yn estyn
At seiliau llys, at sawl llyn.

Map braf drwy'r caeau lafant, a'r dynion
 Ar dân yn llifeiriant
 At Sbaen, at y wŷs o bant
Trwy'r bore, fel trwy beiriant.

Map anghyflawn llawn cynlluniau, a ffyrdd
 I ffwrdd o'r hen lwybrau
 I'w dilyn cyn gweld drws cau'r
Gwynt yn ei blygu yntau.

Proffwydoliaeth

(wrth wylio fy hen fodryb bedwar ugain oed yn plannu tatws)

Dywedodd y dôi hedyn
I fynnu haul yn fan hyn,
Awr wrth awr diffiniodd hon
Asennau'r cwysi union,
Rhoi ei ffydd i ddaear ffaith
A haul i'r gleien eilwaith,
Ei gau yng ngwythiennau'i thir
A'i gau yn galon gywir.

O roi lliw i erwau'r llwch
Ni allai'r un tywyllwch
Na phob rhyw ddilyw a ddaeth
Dawelu'i phroffwydoliaeth.

Gwerin

Ai ond gair ydyw gwerin?
Ai crys cyfforddus y ffin
A'i sgwariau'n gaeau i gyd,
Yn aeafol dynn hefyd?

Â gweisg yn mynnu gwisgo
Eu hiaith nhw'n ei frethyn o,
Ai crys rhyw acer oesol
A ddaw nawr a ddoe yn ôl?

Ai dalen ei fodolaeth?
Ai acer werdd rhyw gerdd gaeth
Neu'r llethr llwm, a phob cwm cau
O dan draed yn drawiadau?

Gwerin, a yw'n ddiffiniad
O 'fyw'n glòs wrth gefen gwlad'?
Ai label ar chwarelwr?
Ai helmed galed pob gŵr
Fu dan ddaear yn taro
Ple ei oes ar dalp o lo?

Neu ai geiryn agored
Na wela' i ei hyd a'i led
Wrth wisgo'n flêr fy ngwerin
Yng nghrys cyfforddus fy ffin?

Seren y Bore

*(yr unig bapur dyddiol i roi sylw, yn Gymraeg, i Eisteddfod Genedlaethol
Caerdydd 2008)*

A hi'n haf, mae'r ffurfafen
Yn ysgwyd, mae'r *Byd* ar ben,
Â'r dydd heb bapur dyddiol
Ro'n ni'n bodloni ar *Lol*,
Ac er bod y genod gwych
Ar ei ddalen mor ddelwych,
Mae angen llais amgenach
I roi her a hyder iach.

Er bod llen ei ddalenne'n
Dweud y gwir o dir y de
I Fôn a 'nôl i Fynwy
Y mae o hyd angen mwy,
Angen cael darllen bob dydd,
I ni yr hyn sy'n newydd,
Angen, fel llên, er ein lles
Yn yr heniaith, yr hanes.

I ymyl lem cwmwl iaith
Heibio daeth seren gobaith.
A hi'n haf fe ddaeth hefyd
Seren i'r ffurfafen fud,
Seren fel crochlais eiriol
I roi nerth i eiriau'n ôl,
Seren fel seiren i'r sîn,
Seren gwefr, seren gyfrin.

Un ddalen, fel seren sydd
Yn olau mor ddigywilydd,

Y ddalen sydd am ennyd
Yn dal rhyw ddelfryd o hyd,
Dal y ddelfryd hyfryd hon
A'i heisiau, heb esgusion,
Rhoi ar glawr ei golau hi
I danio'r wlad â'i hynni.

Y seren sy'n llais arall
O ddydd i ddydd, i wlad ddall,
Mawr ei ffydd yng Nghymru ffôl,
A dydd heb bapur dyddiol.

Enaid Hoff Cytûn

Bu tri ohonom yn mwydro'r nos
Wrth lithro drwy Olhos d'Agua,
Â dwy iaith fratiog rhyngom ni
A'r gŵr tacsi o Albufeira.

"Mae'r Strip yn brysur," meddwn i
A'r corneli'n toddi'n ara'
I'r bore bach rhwng ei gwydrau hi,
"Ydych chi'n hoffi Albufeira?"

"Mae'r Strip yn Seisnig," meddai'r dyn,
"Rydw i'n ddieithryn yma."
"Ry'ch chi'n siarad fel Cymro," meddwn i
'di meddwi ar lais Albufeira.

Gwelsom wrth iddo ddyrnu'r gêr
I'w le dan sêr Olhos d'Agua,
Bod blas yr un heli ar bob ton
Yn Arfon ac Albufeira.

Penrhyn Deuddwr

Mae'r dŵr yn Neuddwr yn oer,
A lliw bron yn hŷn na'r lloer
Sydd i'w lais eiddil, iasoer.

Dŵr gwahanol, oesol yw,
Direidi gwydyr ydyw,
Dihareb oes mewn dŵr byw.

Dŵr ffynhonnau seintiau'n sôn
Am wên brin pererinion,
Dŵr y wlad ym mhen draw'r lôn

Yw'r ddwy afon aflonydd
Sy'n ffiniau i'm seiliau sydd
Â hyder iaith y dŵr rhydd.

Antur

(*I Philip Pullman, awdur trioleg* His Dark Materials – Northern Lights,
The Subtle Knife, *a* The Amber Spyglass)

Yn saff mewn plygion soffa, – af ar daith
  At fraw dwfn yr eira,
 A chreu o hyd uwch yr iâ
 Arwriaeth mewn awrora.

Af heno i geisio lle gwell, – a mynnu
  'Run gallu â'r gyllell
 I weled byd y wlad bell
 A dyfodd yn fy 'stafell.

Yng ngalar yr angylion, – Duw ei hun
  Sy'n dân ar groen dynion,
 O'i fflamau daw'r llafnau llon
 A daw'r gwrachod o'r gwreichion.

O'r lolfa fras ddiflasaf – uwch rhyfel
  A chrefydd hedfanaf
 At fwrdd ei lys, canys caf
 Dynnu'r braw dwfn amdanaf.

Pont-Tyweli

(I Angharad Clwyd ar ei phen-blwydd yn 30)

Nid yw'r llif yn dawel ym Mhont-T'weli,
Mae'r hen hen drai dros y tai yn tewi
Oherwydd, ble mae'r storom yn torri,
I roi heddwch fel mewn harbwr iddi
Daw Angharad i angori'r heniaith
Yno ganwaith, fel ers dydd ei geni.

Cywilydd

(Josef Fritzl yn Awstria)

Ni welwn ni drwy welydd yr enaid
        Mor wyn ei barwydydd
    Erchyllterau'r seiliau sydd
    I lawr yn ei selerydd.

Lliwiau

(I Kevin Carter)

Du a gwyn ydyw gynnau, – du a gwyn
        Ydyw gwaed mewn lluniau
    O rith hyll na all ryddhau
    Y gwyll euog o'u lliwiau.

I Ffred yn 60

Mor rhwydd yng Nghymru heddiw
Newid dy lais a dy liw –
Rhoi nôl i'r gorffennol ffydd
Yn sŵn yr uchelseinydd;
Pob un dyn yn hen ŵr doeth,
Newid cof am dai cyfoeth
I droi ffydd y chwyldro ffôl
Yn dlodi sefydliadol.

Nid pob un. Mae dyn nad yw'n
Un i wadu'r hyn ydyw,
Un gŵr a fu'n ateb gwŷs
Egwyddor yn gyhoeddus,
Un a rydd holl oriau braf
Y nos i'r ymgyrch nesaf.

Pan fo Ffred yn darlledu
Dros ei sêl, un sianel sy',
Pob datganiad fel radio
Nad oes modd ei ddiffodd o.
Mae'r donfedd yn ei feddiant
A'i areithio'n taro tant,
Ffred ydyw'r cyffur wedyn
Yn rhoi hit i'r chwyldro'i hun.

Trigain oed di-oed ydwyt,
Y dorf yn gweithredu wyt;
Trigain oed di-gadoediad
Yn rhoi oes i weld parhad
Y Gymraeg i'r Gymru hon.

O le i le, mae cloeon
Ein celloedd yn cyhoeddi
Yn ein hiaith, ein diolch ni.

Italia 90

A'r byd yn bêl gron, lonydd
Roedd ewinedd diwedd dydd
Yn fyr wrth i fy arwyr
Yn nef eu nos dyfu'n wŷr.
Ac roedd Napoli'n ddinas
Ffyrnig, yn eglwysig las
Wrth i sêr swrth *Azzuri*
Ddod fel côr i'w hallor hi.

Roedd Baggio'n *adagio* dwys,
Yn symud fel llais amwys
Hyd y cae'n newid cywair
Rhyw aria mud air am air,
A Schillacci'n ddiflino,
A hyder sur fe droes o
Ganu twt hen gantata
Yn ddrych Eidalaidd o'r ha'.

Roedd llond gwlad yn y stadiwm
A phob cân fel trydan trwm.
Yno ddoe ei hangerdd hi
Oedd corff glas bras Baresi,
Ac roedd Costacurta'n cau
Y bwlch, ond roedd y bylchau'n
Ddigon i Maradona
A'i ddawns rydd anwesu'r ha'.

Dyma luniau caeau'r cof,
Dinas a rewyd ynof,
Pob wyneb a sylwebiad
Sydd heno'n fframio'i pharhad.

Rhain yw enwau'r hunaniaeth, –
Y gwŷr sy'n fy nal yn gaeth
At fyd y bêl gron, lonydd
A blaen sedd pob diwedd dydd.

Ffenestr

Daeth brys cysurus seiren i dorri
    distawrwydd yr wybren
  fel raser, fel llafn seren
  yn wylo'n wyllt hyd lôn wen.

Lôn wen ddinesig ddigon, rhyw gawdel
    o sbwriel a sbarion
  yn creu cysgod hynod ton
  yn chwarae ar ei chyrion.

Ac o fêr y tai teras, o swnian
    rhyw nos Wener ddiflas
  chwalodd cri'r goleuni glas
  i ddihuno'r holl ddinas.

Tu ôl i'r ffenest olau, nid yw'r sŵn
    ond rhyw si, a'r golau'n
  lliwiau oer yn ymbellhau'n
  ennyd las o adleisiau.

Tu ôl i'w amddiffyn tila, oedi'n
    gaeedig mewn noddfa
  rhag sôn y noson a wna'r
  un gŵr sydd yn segura.

Rhywle'n y ddinas ar lonydd unig,
a neon niwlog fel lloer annelwig
dros stryd ddiaros y nos ddinesig
mae'r tri sy'n cerdded yn troi'n unedig,
yna'n oedi'n grynedig – dan y sêr
â golau hyder ar frwsh sigledig.

Ar bob cornel, fe welir
yn eiriau swrth mewn rhes hir
yr oriau oer mewn print bras,
heno'n rhyddhau'r holl ddinas
o'i chaethiwed, yn dwedyd
am eiriau bach mwya'r byd,
yn wŷs i bob dinesydd
i weled, draw, y wlad rydd
â haid o'i hieuenctid hi
yn rhywle'n ymwroli.

I'r tŷ daw'r seiren yn alwad denau
â her agored yng nglesni'r geiriau,
ond ym mhob paen mae 'na fil o haenau
ac ôl diferion fel gwlad o furiau,
hon yw ffenest ei ffiniau, – a'i nacâd
yn herio galwad a gwyro golau.

Mae'r gŵr a'i baned wrth y teledu
yno bob dydd bydd yn anwybyddu
yn ei lonyddwch, hen aflonyddu
twrw sy'n ferw gan sŵn yfory.
Yn y gwydyr sy'n gwadu – fe fydd gwên
iach o heulwen hyd yn oed yn chwalu.

Gan hynny, felly, ni fydd
golau chwyldro digywilydd
nos arall, na sŵn seiren
yn wylo'n wyllt hyd lôn wen,
yn ddim ond seren ennyd
draw ymhell, yn dwrw mud.

Wrth y ffenest ddigwestiwn
Yn y mur, mi wneith, mi wn,
y gŵr a fu'n segura
o'i ysgwyd ef o'i gwsg da,
godi i weld, trwy lygaid dall,
fore digynnwrf arall.

Tu hwnt i ffenest ei waith
ar wal a fu'n lân, unwaith,
fe wêl ef olau afiaith

am eiliad, cyn ei wadu,
ac yna rhyw ffug-wenu,
a gwyro'n ddof at sgrin ddu,

a thap-tap ei waith teipio
yn fud i'w olygfa o,
a phaen yn ei ddiffinio.

Hwn yw'r gwyliwr o'r golwg,
ymyl mud y cwmwl mwg,
yn oedi rhwng da a drwg.

Rhyngddo a'r byd mae gwydyr
distaw y byw diystyr.

Y wŷs hyderus a dyrr...

Dewch o'r wlad chi wŷr o Lŷn!
Y tadau o Went wedyn,
dewch ferched Dyfed i hel
o'u tai y mamau tawel,
a chi'r bechgyn, dilynwch
ôl eu traed hyd nes gweld trwch
wrth y ffenest yn estyn
at segura'r swyddfa syn.

Dewch a gadewch yr hen do
sy' heb awydd i sbio,
dewch, agosewch at y sŵn
ac yn hawdd fe'i cynyddwn,
dewch heb wrid, dewch heb bryder
na chwarae saff, dewch â'r sêr,
dewch a gwrandewch, chi yw'r dydd,
fel hen awen o'r newydd
dewch â churiad eich chwarae
i danio byd yn y Bae.

At y ffenest o ffiniau
o'r lôn hir i lawenhau
â chanu llon, dewch yn llu, –
dewch i weled ei chwalu.

I Ysgol Llangynog

(adeg dathlu ei thri chan mlwyddiant)

Mae Mehefin diflino'n
Fyr ei wynt yn nhai y fro,
Yn sibrwd, sibrwd y sôn
Am y lonydd melynion
Sy'n arwain ein hatsain ni
Yn hyderus at stori.

Mae'n ben-blwydd ar hen lwyddiant
Ein plwyf, ac yn nathlu plant
Clywn yr hanes cynhesaf
A chanu iach tri chan haf
Yn lleisio'r egwyddorion
Oesol, gwahanol yn hon.

Dilladwyd â lliw hyder
Y sawl a godwyd i'r sêr
Gan geiniog gyfoethocach.
Gwelodd plentyn bwthyn bach
Lorio waliau'i orwelion
Yn yr ysgol leol hon.

Yn Llangynog arfogwyd
Â geiriau eu lleisiau llwyd,
Rhoi i garfan darian dysg,
Rhoi i fyddin arf addysg.
Byddin eofn i'w hofni, –
Byddin y werin yw hi.

Cymhennodd ein cymuned
I'w hacer hi, gwreiddio cred

Rhwng muriau'r tymhorau maith
A thynnu llwythi uniaith
Ynghyd ar hyd ffiniau bras
Dwy iaith yr un gymdeithas.

Ysgol deuluol yw hi,
A hon fu'n aelwyd inni
Pan fu camau dechrau'r daith
Yno'n rhy betrus unwaith.
Hafau'n cyndeidiau ydyw,
Hen, hen iaith ein hwyrion yw.

Mae Mehefin diflino'n
Fyr ei wynt ar hyd y fro,
Yn gweiddi yn gyhoeddus
Ar i'r llan, cyngor a'r llys
Lwyddo i wrando'r stori
A neges ein hanes ni.

Rhiant ac Athro

Anodd parhau i wenu'n
Ymyl darn o gwmwl du,
A digalon swagro'n swel
A'r haf ar droi'n wrthryfel.
Sŵn marwnad mewn dathliad oedd
A Sadwrn Ianws ydoedd.

Ond dathliad o alwad yw,
Y rhaid i barhau ydyw
Yn ysgol leol o hyd,
I droi'r haf yn frwydr hefyd.
Yn Llangynog arfogwn
Ymyl aur y cwmwl hwn.

Ofn

('Terrorism can hit us from anywhere from any place.' — Gordon Brown)

Pan fo holl rym tywyllwch dros y byd,
A rhyddid wedi'i fygwth ar bob tu,
Pan fo cysgodion ar y ffyrdd i gyd
A phob un cornel stryd yn gysgod du,
Pan nad oes dim ond dychryn ar y sgrin
A dim ond nos yr ochr draw i'r llen,
Pan fo pob ffrind yn sinistr a blin
A'r rhai mewn grym yn gweld y byd ar ben,
Diffoddwch y teledu am y tro,
Agorwch lenni'r lolfa led y pen,
Cofleidiwch yr anwybod, ewch ag o
Tu allan ar y stryd fel cyllell wen
I dorri drwy hualau'r ofnau sydd
Yn cadw pawb yn saff rhag bod yn rhydd.

I Aled a Lisa

(Gorffennaf 28ain, 2007)

Cyn bod pen ar Orffennaf, – cyn daw Awst,
 Cyn daw ust y gaeaf,
  Cawn ni ddod o'r cynhaeaf
  Ar lwybrau haul byw yr haf.

Haf yw hwn, o'r holl hafau hir – a fu
 Sy'n fyw drwy'r deheudir,
  Yn ei heulwen fe genir
  Am gariad sy'n gariad gwir.

O gariad gwir daw geiriau, – a daw'r haul
 I wau drwy ein gwenau
  A hud yr addunedau
  I oleuo diwrnod dau.

Pan ddaw'r ddau â'u gwenau'n gân, – fe ddaw'r sŵn,
 I foddi'r sir gyfan,
  A bydd Al a Lisa Lân
  Yn un â'r haf ei hunan.

I'r haf ei hunan canaf, – ac uno
 Gyda'r gân felysaf,
  Yn ei wres bydd cân yr haf
  Yn un â phâr Gorffennaf.

Symud

*(i dŷ dafliad carreg o'r môr yn Aberystwyth.
Yn yr un cyfnod symudodd Swyddfa Cymdeithas
yr Iaith Gymraeg o Ben Roc i'r hen goleg
diwinyddol)*

Paciais, ailbaciais lond byd
O hafau, y glaw hefyd,
O glydwch tir gweladwy
Er mwyn mynd at rimyn mwy.
At donnau'r hen wylltineb
Ger y Glais â'i garreg wleb,
Lle mae'r gwyll mawr â'r gallu
I droi dawns yn dwrw du,
At ddiferion mawrion, mân
Hen ddŵr llwyd sy'n ddur llydan,
Er mwyn rhoi maen yr ieuanc
Wrth hen donnau traethau'n tranc,
Mynd â maen, a dymuno
Creu mur rhag erydu'r gro.

Cariad

Dywediad llygaid ydoedd,
Ac englyn heb eiryn oedd
Dan leuad hŷn o lawer
Na holl liw ein cannwyll wêr,
Ar y bwrdd rhyngom a'r byd.

Lle safodd lleisiau hefyd
A gweini â gwen gynnes
Eu hen win i'n tynnu'n nes,
Rhoesom gusan yr oesau,
A hen hen sgwrs mewn gwisg iau,
Ein gwisg ni yn unig oedd,
Dywediad eiliad ydoedd.

I Cennydd ac Angharad

(ar ddydd eu priodas)

Dewch i ganu am yr haf hirfelyn,
i yfed gwin poteli'r ddinas hael,
i ddilyn nodau cariad ar y delyn
a dawnsio'n rhydd yn neuadd fawr yr haul,
dewch yn dystion llon i weld yr uniad,
i weld y fodrwy aur a'r rhosyn coch,
gweld yr addunedau yn gyffroad,
a gweld y ddau yn dawnsio foch yn moch.

Ewch wedyn, wedi gweld a chlywed hyn,
ewch gan fendithio gyda'r gwin a'r Gair,
gan daflu'ch cariad fel conffeti gwyn
dros ben y ddau, ewch â'ch cyfarchion taer
i'w gwylio gyda'i gilydd, ar eu taith
a'u danfon ar eu ffordd i'w gwynfyd maith.

Cymhennu

Pan fo annel gwehelyth
At elltydd newydd, a'r nyth
Yn eiddilach, yn ddeilen
Neu ryw un brigyn ar bren
Wedi'r ffarwél, 'rôl gwelwi
Yn nhwrw'r iau, daw'r iâr i
Drefnu byd ei dodrefn bach
A chymhennu'r llwch manach,
Heb eiliad sbâr i aros
Heblaw'r un awr ganol nos
Pan na all eco'r rhuthro rhwydd
Dewi stŵr y distawrwydd.

Llais

(I Paul Dooley, un o'r ychydig delynorion i ganu cerddoriaeth 'Llawysgrif Robert ap Huw')

Dyma oedd ar goll
Pan ddaeth y telynor tawel
I ddatgordeddu'r nodau o'r tannau,
A'u gwasgaru'n brydferth
Rhwng gwydrau'r dafarn,
Roedd dawn ei ddwylo Gwyddelig
Yn sŵn unig, diffiniedig y nodau
Yn ddu heb wyn,
Yn alaw heb gyfalaw,
Yn gywydd rhydd.

Datgelwyd y nodau,
Ond pwy a ŵyr pa drosiadau
A daflwyd i'r bylchau rhyngddynt
Drwy'r oesau, pa gywyddau coll
A godwyd i nenfwd y llys gan y llais.

Oerfel

(wrth gerdded heibio siop Woolworths ar Stryd Fawr Aberystwyth, o dan oleuadau'r Nadolig)

Mae'r lôn yng Nghymru 'leni, – y trywydd
    Sy'n troi at y ffatri
   Yn lôn wen lle gwelwn ni'r
   Cawodydd dros bicedi.

Heno, mae'r rhew'n wahanol, – rhew oerach
    Yr eira ariannol,
   Rhew'r gaeaf cyfalafol
   Yn gyrru dyn i giw'r dôl.

A choeden wedi'i chodi – rhown o hyd
    Addurniadau arni,
   A gweld ar ei brigau hi
   Ddail oerion yn ddoleri.

Ond er mor ddudew'r rhewi, – yn y gân
    Hŷn, gynnes, daw inni'n
   dawel drwy ein hoerfel ni
   ferw'r ŵyl i'w feirioli.

Ac mae'r golau brau ar y bryn – heno
    Ar wyneb pob plentyn,
   a mil o lampau melyn
   yn iaith gŵyl, yn obaith gwyn.

Nid Ydyw'r Ffin yn Blino

Ôl y gorffennol yw'r ffin
I'r lluoedd o'r gorllewin,
Mor bell o'r clawdd hawdd yw hi
I suddo'n is i'n seddi,
A gwylio'r hen ororau
Yn y llif yn ymbellhau.

Ein brain ein hunain sy'n hel
Uwch hen dai, cyrchu'n dawel
Dros y gad, ac wrth adael
I arfau ein geiriau gael
Rhydu ger ceg yr adwy
Fe fydd pob un bwlch yn fwy,
Cans yn y ffin mae ffiniau'r
Broydd clyd i gyd yn gwau
Yn ei gilydd, yn galw
Am hen iaith i'w clymu nhw.

Nid ydyw'r ffin yn blino
Ar roi braich am erwau'i bro,
I droedio, daw i'r adwy
Y Gymraeg i'w muriau hwy –
Milwyr yw'r siaradwyr hyn,
Milwyr heb sôn am elyn
Ond catrawd ein difrawder,
Yn nesáu o dan y sêr
Yn arfog, fel o'n gwirfodd
A nerth ein beirdd, wrth ein bodd.

Bod yn fudan yw canu
I fwlch rhyw winllan na fu,
Un ffin yw ein diffiniad

Y lle hwn yw ein holl wlad
Ac o'r llinell fe ellir
Lledu iaith dros ein holl dir.

Nid cilio, ac nid colur,
Nid gair dof ond geiriau dur
Yw'r rhaff hir a fyn gryfhau
Arwriaeth y gororau.

Y Ferch a'r Syniad

*'Dywedir eich bod yn dod i oed pan mae syniadau'n fwy diddorol na
merched'* — Gwynfor ab Ifor, Barddas, 293

Dro yn ôl, cyfarfu fy llygaid â llygaid y syniad
am eiliad, yr ochr draw i'r stryd,
roedd fflach o ddealltwriaeth rhyngom,
dywedasant:
"Dilyn fi, ac mi af â thi i'm stafell wely er ei bod hi'n b'nawn,
a chau'r llenni,
af â thi i lefydd na fuest erioed –
dilyn y faner goch o sgarff sy'n gwanu'r dorf,
sy'n gwasgaru pawb o'm llwybr,
sy'n troi popeth ond ei hun
yn ddu a gwyn
ac mi af â thi ar daith drwy'r oesau."

Ry'n ni wedi siarad tan yr oriau mân,
hithau'n adrodd ei hanes
nes imi gwympo i goflaid y wawr ysgarlad yn ei breichiau,
gan feddwl fy mod yn ei deall.

Dro arall, cot lwyd haearnaidd oedd amdani,
sbectol haul dywyll ar fore du o Ionawr,
yn cuddio'i phechodau gan ymddiheuro,
"Roeddwn i'n meddwl dy fod ti'n deall
mai syniad fel hyn oeddwn i," meddai.

Bodlonais ar syniadau eraill,
blind-dates diddrwg didda,
dysgu ychydig cyn blino a symud 'mlaen,
hyd nes gweld ar fore clir,
y sgarff goch yn cyhwfan unwaith eto,
dros y stryd araf, ddistaw, ddu a gwyn.

Mae'n Wlad i'r LNG

Be nawr yw ein Bannau ni
Ond tiroedd hawdd eu torri?
Be yw sir Benfro hen ofn
Am li? Am olew eofn?
Be yw Deuddwr heb dwrw'n
Nesáu? Be' yw gwlad heb sŵn
Rhai'n gosod ein dyfodol
Yn rhan o dir bryn a dôl?

Lle bo'r llwybrau hyll, ebrwydd
Be yw rhyd ond llwybr rhwydd?
Be yw'r pridd ond ffordd iddynt
Gael llog y geiniog yn gynt,
Ac wrth weld Tywi'n llinyn
Bwrw'u hawl ar bant a bryn?

Tresmasu tros y meysydd
Ydyw rhaid y farchnad rydd,
Troi'r caeau â'u harfau hwy,
Ac o raid, agor adwy.

Ein daeareg, o dorri
Darnau hawdd o'n daear ni,
Yw'r faner wen ar fynydd,
Awn yno i'w rhwygo'n rhydd.

Dŵr Cymru

Dwylo dawnus yw dwylo llywodraeth.

Wrth iddynt lacio'n gyndyn
ac wrth inni fynnu datod, fys wrth fys
eu iorwg-afael,
pa ddwylo eraill, wedi agor dwrn,
fedr ddal gafael ar lifeiriant?

Wrth iddynt godi cledr i'n hwynebau,
a'u llygaid yn gwadu'n gegagored
daliant ein diferion o hyd,
daliant nentydd ac afonydd,
llynnoedd lle nad oedd llyn,
daliant ein gwythiennau
rhag ofn y bydd angen, rhyw ddydd,
dolchenni eraill heblaw Elan a Thryweryn
i fywiocáu ein calon gyfryngol, ddwyreiniol ni oll.

Daliant afael rhag dyfod dydd
pan ddaw'r tlawd yn gyfoethog, drymlwythog,
gydag aur y cymylau.

Mi oedd R.S. yn iawn,
llifo i'r dwyrain wna afonydd Cymru,
afonydd Môr Iwerddon hyd yn oed,
er bod eu dŵr gwyn yn awchu am erydu'n chwyldroadol.

Dwylo dawnus yw dwylo llywodraeth.

Y Sychder

(Mae dŵr daear o dan y Llain Orllewinol yn ffynhonell fawr o ddŵr i Israel, ac mae'r prinder dŵr yn Gaza ac Israel yn achos dadlau ffyrnig.)

Yr oes sy'n gwacáu ffynnon yr oesau
dan ffiniau Gaza
yw'n cenhedlaeth ni.
Oes sy'n digoni'r cyfoethog, yna
sy'n cuddio'r gwir
mewn pibelli hir.

Oes gwaedu ara'
i'r gerddi gwyrddion a'r pyllau gleision –
y pyllau glasa'.

Oes terfysg tawel
y welydd uchel.

Oes yr ofn a lecha yng ngwaelod ffynnon,
a'r gwydrau'n weigion,
yr ofn a rwyga'r
holl galon allan o dywod Sudan
a Phalesteina.

Mae tap yn agor trwy bedwar tymor
yn y tai yma,
ac ni chlywn ni lwch
a hen dawelwch
eu llymaid ola'.

Gelli Angharad

Mae i'r gaeaf ei afiaith, –
Y dŵr mud sy'n drwm ei iaith,
Dŵr nad yw ond darn o dir
Yn y drin, dŵr a enir
O amynedd y meini,
Ag arian llydan y lli'
Pell yn ei gymell o gôl
A gwres y graig arhosol.

Mae'r nentydd oll yn gollwng
Fel rhyw farch mor flêr ei fwng,
A bwrlwm hirlwm yn hel
Ei garnau am y gornel.

Pan ddaw'r tir aeddfed wedyn
I dywys hynt y ffrwd sy'n
Gwybod yn barod y bydd
ei thrai yn llywio'i thrywydd,
A phan fod y tywod hŷn
Yn rhwydo'i phŵer wedyn,
Daw rhyw gynddaredd meddw
I dynnu'n eu herbyn nhw,
Ac yn nhir y gŵyn heriol
Daw eto i ddarnio'r ddôl.

Yn glwyf oes fe'i gwelaf o –
Ôl dŵr gwyn fel draig yno.

¡NO Pasaran!

(wrth ddarllen araith La Pasionaria yn erbyn y Ffasgwyr ym mrwydr Madrid yn ystod Rhyfel Cartref Sbaen)

Mae'r heulwen ar ddalenne'n
rhy oer, rhy lwyd ar y we
yw sêr y faner, rhy fud
yw hafau hanes hefyd.

Ond blas ei dinas sy'n dal
Ei henaid ar ei hana'l,
Er dagrau'r golled wedyn,
Er teimlo atseinio syn
Rhwygo'i henfys drwy ganfod
Brain dur drwy'r wybren yn dod.

Hon oedd dramodydd rhyddid
Y dramâu draw ym Madrid,
A thrwy'r rhyfel rhoes ddelwedd
Eiryn byw ar gyrion bedd.

Rhydd ei hiaith i'r awyr ddu
Araith fawr wrth yfory.

Penillion Ymson

mewn cwch

Daeth ataf gwestiwn oesol
Yng nghanol dŵr a strach,
Pam fod y twll o hyd mor fawr,
A 'mheipen i mor fach?

wrth lyfu stamp

Os ydyw Lis o Windsor
Yn postio llythyrau y Cwîn,
Mae ganddi ddawn arbennig,
Sef llyfu'i thin ei hun.

Penill Telyn Newydd

Y mae llawer un yn siarad
Am y llanc a gollodd gariad,
Nifer fach o'r rhain sy'n deall
Bod e'n canlyn tair merch arall.

Canrannu

(Cyngor swyddfa'r Gweinidog dros Ddiwylliant, yr iaith Gymraeg a Chwaraeon, sydd yn dal i fynnu mai rhywbeth i'r 20% yw'r Gymraeg yn 2005)

Wrth gerdded ar hyd strydoedd ein Cymru PC,
Os clywch chi eiriau sy'n ddieithr i chi,
Da chi, gorchuddiwch glustiau eich plant
Rhag clywed iaith aflan yr ugain y cant.

Trowch y radio i fyny er mwyn boddi sŵn
Y mwydro dieflig sydd fel cyfarth cŵn,
Rhag clywed y geiriau fel t'wysog a sant,
Sy'n rhoi tân yn llygaid yr ugain y cant.

Maen nhw'n byw ym mynyddoedd y gorllewin coch
Ac yn sibrwd cyfrinachau, foch ym moch,
Yn gosod propaganda i alaw cerdd dant,
Hen ddiawled digywilydd yw'r ugain y cant.

Maen nhw'n sleifio fel guerrillas ar hyd y lle,
Yn canu clod i ETA a'r IRA,
Chi'r pedwar ugain, cofiwch redeg bant
Os gwelwch chi aelod o'r ugain y cant.

*   *   *

Wrth fwydro a brwydro ble bynnag y boch
Am hynt y Gymraeg, dadleuwch yn groch
I gyfeiliant pob nodyn, pob telyn, pob tant,
Bod hi'n perthyn i bawb, nid i ugain y cant.

Y Dŵr a Ddaeth i Daro

Heno mae'r dŵr ddaeth o'r môr i daro
Draw ar y mynydd yn storom yno
Yn ynni llafar dros gaeau'n llifo,
Mae lli' o'r pridd a'r meini'n ymuno
Yn dwrw hir yn ei dro, cyn troi'n llen
O niwlen wen dros y tonnau heno.

Cam

Fe'i clywais pan oedd lleisiau
yn llanw'r lle yn rhy lawen,
unwaith y llefarodd, tawelodd y twr
a bu rheidrwydd ei sibrydion
yn fy nghymell yn bell o bob un man, yn mynnu
bod pob un cam, er fy mod i'n eu hamau,
yn dilyn y llall ar hyd lôn y llais,
a deallais nad i dywyllwch
y camwn pan ddaliwn yn ei dwylo
ond cymryd cam ar hyd y cei
tuag at y gwynt,
a'i dilyn a'i dilyn a'i dal yn y diwedd,
yn dawel.

Rhyfel

(mewn cyngerdd i ddathlu chwe deg mlynedd ers diwedd yr Ail Ryfel Byd yn Neuadd Llangynog; ysgrifennwyd ar y cyd ag Eurig Salisbury)

Mae rhyfel yn dawelach
Ar ein bocs, rhyw fymryn bach,
A'i ddistawrwydd aflafar
Yn bell, bell o gornel bar.
Rhyfel ar orwel yw hwn,
Hwn yw'r rhyfel na phrofwn.

Eiliadau'r sgrin deledu
Ydyw lliwiau'r dyddiau du,
Tân y clywaf amdano –
Nid anodd ei ddiffodd o.

Drigain mlynedd i heddi
Aeth i wres ein hanes ni
Leisiau eu heneidiau nhw,
Â llef arall, fu farw
Yn y llaid, bu farw'r llu
Fu farw dros yfory.

Drigain mlynedd i heddi
I'r tân rhai o'm hoedran i
A fartsiodd i'w ddiffodd o,
A hunodd mewn llaid yno,
Drigain mlynedd i heddi
Fu farw'n fy enw i.

Rhyd Chwima

(sef y rhyd ar Afon Hafren ger Aber-miwl lle arferai Llywelyn gyfarfod â brenhinoedd Lloegr i gynnal trafodaethau)

Do, bu'r coed i'r cadoediad
Yn dystion gwynion, bu'r gad
Â llafnau'r cleddyfau'n ddur
I'w hogi, ond yn segur
Yn fan hyn, ar fan canol
Yr afon hon oesau'n ôl.

Anodd gweld drwy'r cloddiau gwyn,
A lleoli Llywelyn,
Mae'r afon yn rhy llonydd
Fel darlun ar derfyn dydd,
Yn hyder hawdd ei dŵr hi
Y mae hiraeth Cilmeri,
Ond lle bu coed cadoediad
Yn dystion glewion, mae gwlad.

Pentref

(sef pentref yr Ystog, Sir Drefaldwyn,
dafliad carreg o'r ffin â Lloegr)

Mae'r iaith yn cuddio ym mro
Gysglyd, astud yr Ystog,
Drwy'r dydd mor llonydd yw lliw
Arwyddion Cymru heddiw,
Yn naws ddoe mae'n haws i ddyn
Argoeli saethau'r gelyn.

Ond er hyn, bu'r cloddiau drain
Yn ddaear dan ffyrdd Owain,
Down ni yn gatrawd newydd
Fel un i'w ddilyn, rhyw ddydd
Â dur y frwydr dros fro
Gysglyd, astud yr Ystog.

Tŷ Newydd 04/09/04

Bu pensaer tawelwch yma
Yn sgwennu'r corneli cudd
I stori'r dail a'r lôn dywyll oesau'n ôl,
Yn gosod cynildeb rhwng y gwin da
A'r gris ola' cyn y freuddwyd.

Gwelais ei ôl mewn gardd o ddyfrlliw,
Lle mae telyneg yn cuddio
Y tu draw i'r clawdd,

Ac yng nghynghanedd arw tyllau'r ffordd
Synhwyrais gytseiniaid cysgodol
Yn chwarae mig â'i gilydd.

Tu ôl i'r tawelwch clywais sibrydion
Ysbrydion cenedl,
Y bardd ar herw'n cael lloches
Wrth wreichion ei awen
A'r bwrdd yn llawn.

Cyrhaeddais y tŷ a dianc rhag Ossetia a'r BBC
A chlywed, yn y llyfrgell,
Hogi arfau amgenach.

Mae'r Haleliwia yn fy Enaid I

Nid mo'yn cau'r cread mewn cell o eiriau,
    Na'i fwrw i 'stafell
    Beirdd, ond gweld ffurfafen bell
    Llawenydd mewn un llinell.

Megan Haf

(ymson Angharad a Mike)

Pan fyddo'r nos agosaf, – pan ddaw'r glaw
    I gloi drysau'r gaeaf,
    Mae egin haul, – Megan Haf,
    Mae dy enw amdanaf.

Methiant

Sibrydais, cusanais hi, yna troi
    At dric lyfi-dyfi,
    Ond gwefus ust gefais i,
    Roedd Anwen yn barddoni.

I Gwyn Siôn Ifan

A sŵn nerfus yn Arfon, – y llanw
    yn Llŷn yn ddigalon
    a nos rhy faith dros Sir Fôn,
    y mae arwyr ym Meirion.

Dubya

Er gwenu'n llawn adduned – a siglo'r
    Dwylo, y mae dyled
    Y meirw oll ym mharêd
    Y dyn euog diniwed.

Olew

(I Tony Blair)

O'r man diogel ni weli, yn llawn sôn
    Olwynion eleni
    Y lôn hir lle gwelwn ni
    Gelanedd y galwyni.

Rhagrith

I elynion rhown filiynau yn had
    Er mwyn medi bomiau
    Heb weld rhesi'r cwysi cau
    Yn agor â cheiniogau.

I Gyfarch Tudur Dylan

(ar ennill Cadair Eisteddfod Eryri, 2005)

Eto awen y Tywi a glywyd,
    Ac fel glaw ar Lyfni
    Daeth straeon dy afon di
    Ar gerrynt i ragori.

I Gyfarch Mererid

(ar ennill Coron Eisteddfod Meifod, 2004)

Daeth yr haf i Fathrafal
Yn curo'i ddwylo, gan ddal
Yn ei drydar diaros
Odlau hardd dy stori dlos.

Yn sain ein heos heno
Mae llais main holl frain y fro.
Ond o raid, mae direidi'r
Wennol ddaeth 'nôl atom ni,
Yn dwrw mawr adar mân
A sŵn dridwns yn drydan.

Mae dail dy awen 'leni,
A rhwydi haul d'eiriau di'n
Rhoi nyth i linellau'r nos
Yn y brigau brau agos
Rhwng gwên a chynnen, a chân
Aderyn sy'n ystwyrian
Ynddi hi, yn llawenhau,
Yn goron o gyweiriau.

Caerdydd

Dwi'n ei hanner-adnabod,
Hi yw *déjà vu* unwaith y mis,
Fy ffics dinesig achlysurol
Sy'n rhuthro ar hyd gwythiennau'r
Llond llaw o strydoedd cyfarwydd,
Ar hyd map anorffenedig fy mhrifddinas.
Dyw fy nghalon ddim wedi'i weirio i Kerdiff,
Does gan fy Nghaerdydd ddim Map yr Underground,
Mae bron pob un wythïen yn gorwedd yn rhydd,
Ac anwybodaeth yn llifo ohonynt,
Fel gwreiddiau wedi eu tynnu o'r pridd
A'u rhwygo ar wahân.

Ac mae bod yma yng nghledr braf
Yr heulwen feddwol ar afon Taf,
Fel gwrando ar rywun a fu yma ers meitin
Yn rhoi cyfeiriadau na alla' i mo'u dilyn,
I Cowbridge Road East a Thessiger Street,
Fel cân nad wy'n clywed ond un nodyn o'i bît,
Ac nid hen furmur sydd rhwng llawer man,
Ond tymestl hyder, ac eiliadau gwan,

Mae'n wawr o stadiwm groesawgar o hyd,
Yn dafarn dywyll yn gorneli i gyd,
Mae'n disgwyl am *hangover* wrth gyfri'r sêr,
Mae'n Llys Ifor Hael yn Mount Stuart Square,
Mae'n bum llawenydd a enillwyd yn ôl,
Weithiau mae'n wleidydd sy'n dda i ffyc-ol,
Mae hi'n gymar meddw, yn fam, ac yn ferch,
Mae'n ffarwel cornel stryd mewn stori serch,
Mae'n aber nos Sadwrn i ddŵr pob cwm,
Mae'n gysgod stepen drws pan mae'n glawio'n drwm.
Mae'n harbwr parod i holl longau'r lli,
Mae'n yrrwr tacsi sy'n fwy o nashi na fi,
Mae'n gysgod hen hanes a olchwyd yn wyn,
Y pethau 'ma i gyd, ac yn fwy na hyn.

Storm

(I dîm pêl-droed Caerdydd)

Lle methodd ein trydar gario'n hir iawn
    Yn nhes trwm y Saeson
    Daw yr haf drwy awyr hon
    Yn glòs gan adar gleision.

Aber i Gaerfyrddin

Mae'r haf eto'n gwyno i gyd, a lli
    Y gorllewin gwaedlyd
    Yn dawel wrth ddychwelyd
    At dref sy'n hydref o hyd.

Ar Gae yn Llansteffan

Sied wair dawel a welaf, a darnau
    O'r dyrnwr, ond clywaf
    Yn drwm, drwm dros ust yr haf
    Y taranau tirionaf.

Gloÿnnod

(I Nicola a Mike adeg eu priodas, Medi 2008)

Yn Rhuthun, os gwelir weithiau, ar gwr
    Y gorwel gymylau,
    I'n henaid, rhyddhawn ninnau
    Haul gloÿnnod diwrnod dau.

Meini

(ar ôl clywed am farwolaeth ffrind ysgol)

Mae'n wir fod un maen arall
Yno heno, maen na all
Y criw o fois cryfa' un
Ei wadu, heb ddweud wedyn
'Mae 'na un ohonom ni
Yn y fan'.

Ger hen feini
Beddau awn heibio iddynt
Gan grymu wrth gamu'n gynt
Rhag yr iorwg a'r hiraeth,
Rhown reg wrth y garreg gaeth
Rhag gweld ein meini ninnau,
A'r nosau hir yn nesáu.

Kebaber

Mae cael kebab yn Aber
Fel tynnu, neu syllu ar sêr
Noson allan, fel canu
I dwrw dwfn y dŵr du,
Mae'n ddefod lwyr hanfodol,
Ac mae'n hen offeren ffôl.

Mae'r cig arbennig mewn bocs
Yn wynfyd mewn melynfocs,
Mae'n golesterol nefolaidd
A'i saws o yn brifo braidd
Wrth i'w lif, â nerth lafa
Losgi'n tsils dy donsils da.

Pan oedd oldeiar arall
Yn torri cwys chwarter call
Drwy hen dre yn dwrw hyll,
I'w tai aeth meddwon tywyll
Yr Angel i dawelu,
Lleuad oer oedd lliw'r Llew Du.

Ac yn llwch yr elwch hyn
Yn gawl o unigolyn,
Yn gaib, ac yn wir, yn go
Wrecked, er yn trio actio
Mor sobor â saith o'r saint,
Yn ddof mewn dioddefaint,
Baglais, straffaglais o'r ffordd,
Effiais i mewn o'r briffordd,
At arwyddion neon, hardd,
Yn oedfa o lwglydfardd,
Ffroenais ryw gyffur anwar,

Y *grease* o gylch cig yr iâr,
Yna igam-ogamwn
At hud coes eliffant hwn,
Mi wenais, llusgais yn llon
A sigledig at sglodion,
Fy meddwdod amhriodol
Yno, gan daro sawl stôl,
Nodiais fy mhen blinedig
At leufer y cownter cig,
A phwyso fy nghorff *arseholed*
Ar bared fel *pisshead* powld
A dewr, er ddim hanner da,
Mynnais lond bocs o'r manna
Yn falch, mi archebais fyrdd
O winwns lled felynwyrdd,
A saws gwyryfol a sur,
Fel eira ar Foel Eryr
Yn gorwedd ar gig euraidd,
Yno, i'w flingo gan flaidd.

Ces fy naan, ces hunaniaeth,
Ces i fyw mewn bocs o faeth
Gan sant mor gynnes ei wên,
O huodledd y fwydlen.

I ddiolch, es yn ddiwyd
A hel fy shrapnel ar hyd
Ehangder ei gownter gwyn
A herio, fel dihiryn –
"Mae digon, mae digonedd
I dalu iawn am dy wledd!"
Cyn mynd allan dan ganu.

Ond wrth dra'd adeilad du
Baglais, arswydais wedyn

A dal yn fy mhryd yn dynn,
Ond yn araf, araf, aeth
Yn un â stryd hunaniaeth,
Fy ngholled, nis arbedwyd,
Aeth gwên llanc llawen yn llwyd.

Mi odlais dros fy mwydlawr,
Beth i'w wneud? Beth i'w wneud nawr?
Ei grafu fel gŵr afiach
Oddi ar fy socs i'r bocs bach
Yn ei ôl? Neu anelu
I ffwrdd o wae'r hen ffordd ddu
A chario gwagflwch arall
At fin llwch y düwch dall?
Yn dawel mi adawyd
Â hiraeth fy lluniaeth llwyd.

Y mae *pisshead* yn ddedwydd
Â gwledd ar ddiwedd ei ddydd
O yfed diedifar
O wydyr budur y bar,
Ond mae gwledd i wŷr meddw
Yn her i'w sobreiddiwch nhw.
Hawdd cael kebab yn Aber,
Ei lyncu, hynny sy'n her!

Peswch

Lle bu bonllef pentrefi'n cloddio'r glo
    A'r graig las yn hollti,
     Tawelwch clòs sy'n cosi'n
    Ddwfn iawn yn ein gyddfau ni.

Epynt

Am i acen fain dwyreinwynt dorri
    Eu tir oddi wrthynt
    Gae wrth gae, dim ond y gwynt
    All fapio hunllef Epynt.

Mesen

Os oes gormes ar fesen, daw mi ddaw
    O'r ddaear yn dderwen,
    Ond o'r pridd daw ar y pren
    Waedu'r gad drwy y goeden.

Blinder

Down at Arthur a churo ar y mur
    Am oriau, cans heno
    Daw angof i'w ogof o
    Oni ddown i'w ddihuno.

Geiriau

(newid tafodiaith yn y coleg)

Mae geiriau fy magwraeth
Dan y môr sy'n trwytho'r traeth,
Geiriau gwydn hen gerrig ŷnt,
Ond dweud tywodlyd ydynt
 geiriau'r Gymraeg orau'n
llafnau hallt yn eu llyfnhau.
Yn rhy hawdd bu'r cerrynt croes
Yn safoni llais f'einioes.

O'r iaith hon, peidiodd rhyddhau'r
Un tywodyn i'r teidiau,
Rhag i'r môr droi'r geiriau mân
Yn draeth tafodiaith fudan.

Dychwelyd

Mewn bar fu mor gyfarwydd
A'i gwrw'n gân, hen groen gŵydd
Yw y chwithdod sy'n codi
Rownd wrth rownd ar fy ngwar i.

Yn nodau oer gwyn a du
Y gân, rwy'n mentro gwenu
Gwên ryfedd a gwên feddwol
A oedd flynyddoedd yn ôl
Yn wên gaib, yn gam i gyd,
Anufudd o wên hefyd.

I'r glas diembaras bydd
Y golau'n wres digywilydd,
Ond gwres oer, digroeso yw,
A chlydwch ar chwâl ydyw,
Yn gartref dieithr hefyd,
Pen draw'r bar fel pen draw'r byd.

Yn llawn o gwrw llynedd
Siot wrth siot, chwiliais am sedd.

Sadiais, eisteddais ar stôl
Ar y ffin â 'ngorffennol.

Carafán

(yn dilyn awgrym un o fy ffrindiau y dylwn aros mewn carafán 'steddfod nesa')

Arna' i ofon! Rwy'n ifanc,
er bod yn fy nghyfri banc
wacter, rhyw brinder o bres
i anghenion anghynnes
y biliau, er bod bola'n
gefn rhy ymchwyddol i'r gân
rwy'n nwyfus, olygus lanc,
yr wyf yn yfwr ifanc.

Arna' i ofon! O'r nefoedd,
rhoi ar gân a rhoi ar goedd
bod carafán ar lanio
yn fawr a hyll yn y fro.

Hanfod hwyl eisteddfota
yw myn' yn *wrecked*, mwynhau'r ha'n
ddidrugaredd, a meddwi
yn sŵn hyll ei hanes hi,
ac ar ôl lagyr hwyliog,
(heb roi 'mhen mewn bowlen bog)
mynd i stelcian, dan ganu
pob criw llon o'r cywion cu,
ceisio, heb wrido, o raid,
y cyfle am gael coflaid,
yn chwys biws mewn lloches bell,
neu wynebu dy babell
dy hun (pe dôi i hynny)
heb bartner, na hyder hy.

Ond ar daith dra gobeithiol
ar lôn wyllt i'r ŵyl yn ôl,
i'r drych ôl daeth drychiolaeth
i dywyllu'r canu caeth,
fan fawr llawn ofnau fory
yn hel ei holwynion hy
ar fy ôl fel rhyfelwr.

Daeth yn nes! Do, daeth Hen Ŵr
Amser ar dân o Annwn
yn y *chariot* hynod hwn.

Wrth hon mae'n rhaid ymryddhau,
dengyd rhag cerbyd angau
ar frys at far cyfarwydd
yr êl, cyn ei chael yn rhwydd
gadael gwaelodion gwydyr
y *booze*, a symud mewn byr
o dro i gilio â gwên
i odli o dan adlen.

Pabell

Llonydd ers 'steddfod llynedd
y bu, mewn sach, fel y bedd,
yn mwydo a hel madarch,
yn wlyb, yn ogle fel arch
wrth ei hagor, sawl corryn
a sawl pili pala syn
yn y malltod sy'n codi
yn y llwch o 'mhabell i.

Ond fe'i codaf, ger tafarn
â seiliau dur fesul darn
yn cloi â sgìl fesul clic
ei pholion yn dra *phallic*
a chyn hir o'i phegs gwirion
caf (â ffydd) barwydydd (bron),
neuadd i'r bardd roi ei ben
a *chateau* shit i awen,
cynfas rhag embaras byd
a thŷ haf i iaith hefyd,
mae'n westy mewn llety llaith
yn dŷ unnos llaid uniaith.

Ond mewn pabell ni ellir
yn hawdd ymlacio'n rhy hir…

A yw'n rhaid bod sŵn rhyw
i'w glywed, dwed? Pwy ydyw'r
gŵr sy'n baglu canu, (cwd!)
yn ei unfan ar nenfwd
fy mhalas cynfas (y coc!)?
Yn afon deuai hafoc
o'i bledren am sawl ennyd

wrth biso'n fodlon ei fyd
yn lli' dros bensaernïaeth
a thros lety'r canu caeth.

Pabell yng nghanol pibwch
o dan draed a'r mwd yn drwch?
Heno, af wrth fy hunan,
i fyw yn y garafán.

Gwrthryfel

(i gyfarch Eurig ar ennill Cadair Eisteddfod yr Urdd, 2006)

Daeth i Ruthun fyddinoedd
ag arfau geiriau ar goedd,
i losgi'r tir nes torri
yn Gymraeg ei muriau hi,
nes dymchwel tai tawelwch
a gosod sêr yn lle'r llwch.

I'r rhyfel daeth â'i helynt,
gadfridog fel Guto gynt,
pob sôn ac osgo'n gwasgu
yn dynn yn hen rengoedd du'r
canu caeth.

    Ond er cyn co'
yn y *gang* bu rhai'n gwingo
yn erbyn terfyn y twr
arferol, – arfau arwr
sy gan hwn, yn sgwennu'n hy
ar hen furiau'n hyfory.

Trwy holl frwydrau lleisiau'r llwch
Uwch ei lu oni chlywch
Russel Crow slic yr awen
neu sŵn llid Mel Gibson llên
Fel rhyw *glam* William Wallace?
Ein parhad sydd ymhob rhes
o luoedd chwil eu hawen
â bardd gwrthryfel yn ben.
Hen saethau'n ei sillau sydd,
a gwayw yn ei gywydd.

Yn Rhuthun aeth byddin beirdd
i ryfel, nes bod prifeirdd
o'r gad yn ara' godi
eu harfau o'i hawdlau hi.

Mainc

Ar y garreg deg uwch y dŵr, – yno
     Fe gwestiynaf grefftwr
   Y sedd, am nad wyf yn siŵr
   A yw'r saer yn gonsuriwr.

I Gyfarch Iwan

(ar ennill Cadair Eisteddfod yr Urdd, Sir Conwy, 2008)

Mae rheolau marwolaeth
Ym mydryddu'r canu caeth,
A chryman ei gynghanedd
Yn rhoi i'r byw eiriau'r bedd.
Daw â braw cywyddau'r brain
Yn hedeg ar hen adain,
Heibio y daw fel bob dydd
O'i flaen, fel ei ragflaenydd,
Ei glogyn du'n chwifio'n dal
A'i wên yn cipio'r ana'l,
Nes daw marwnadau'r awel
A'r brain eu hunain i hel.
Ond daw rhyw farwnad arall
O gwympo'r sêr yn lle'r llall,
Cyn hir fe'n rhwymir o raid
Wrth wedd ei hir a thoddaid.

Ond ddim eto! Heno hwn,
A'i wyneb tuag Annwn,
Yw lliwiau ein holl awen,
Ŵr llafar llachar ein llên,
Eglurwr ein galaru
Nid rhyw gennad dillad du,
Galar drwy'r ddaear am ddau
Yn heddwch eu hangladdau.
Un yn graig, un yn gregyn,
Yn wlith heb gyrraedd ei lyn,
Y llanc a fu'n awdlau llon
Yfory'n ddeuair fyrion.

Iwan Rhys yw'r enfys oer,
Yn wres ar letrew iasoer,
Trydar dros y trai ydyw
A heulwen ar ywen yw,
Iwan Rhys sydd yn trosi
Iaith nos yn obaith i ni.

Un haf, ac Angau'n gafael,
Yn rhith rhyngom ni a'r haul,
Daeth tyrfa lon Sir Conwy'n
Ddi-hid â'u hieuenctid hwy
I chwerthin yn ddiflino
Heb ofn yn ei wyneb o,
A bu'r hwyl yn orlawn bron
O lawenydd englynion.

Er ofni hwn, daw'r haf nôl,
Haf o eiriau anfarwol,
A mydryddu'r canu caeth
Yn meirioli marwolaeth.

Aber-bach

(ar ymweliad, Medi 2008)

Ym mhlygion trwm y creigiau gwelais hi,
Fe'i gwasgwyd yn yr haenau hŷn na harn
Yn rhan o'r hen ddaeareg uwch y lli
Sy'n hir lyfnhau'r arfordir fesul darn.

Lle'r aeth ei maeth i'r pridd gan ruddo'r tir,
Lle gwreiddiodd coed ein hanes, tyfodd gwair
Yr oesau, ac wrth iddo dyfu'n hir
Gorchuddiodd y trosiadau, air wth air.

Daeth brathiad hydref drwy yr awyr iach,
Mi glosiais at y mur, a gweld o 'mlaen
Lythrennau du yr enw – Aber-bach,
Ac er bod tonnau'n malu fel o'r blaen
Mi wyddwn i wrth sefyll ar y cei
Bod ambell gragen fach yn dod i'r fei.

I Iwan ac Angharad

(ar achlysur eu priodas yng Nghaergybi, 31ain o Hydref, 2008)

Mae dŵr pob harbwr o hyd
Yn wahanol, o ennyd
I ennyd nid 'run tonnau
Sy'n ysgwyd bywyd y Bae,
Ac mae gwrid cyfnewidiol
Yn machludo eto'n ôl.

Mae holl liwiau llongau'r lli
Heno mor newydd inni,
Ac mae rhwyg mawr yr eigion
Yn ddŵr mawr am ddaear Môn
Drwy'r oesau, hen donnau du
Y môr hwn fu'n ymrannu,
A newid cyson ewyn
Ydyw'r don anghyson hyn,
Yn Aber neu Gaergybi,
Yno tyr ei newid hi.

Ond tir Môn, er y trai mawr
Yn ei unfan, sy'n enfawr,
Tir eich gwlad sy'n safadwy
Uwch dyfroedd y moroedd mwy,
A daeareg uwch cregyn
Yw creigiau eich geiriau gwyn.
Daear fwyn penderfyniad
Yw erwau ir eich parhad,
A chaeau llannau eich llên
Yw daear cariad awen.

Mae Môn a'i chân aflonydd
Heno'n dawnsio drwy Gaerdydd,
Dawnsio fel bwriad unswydd
Yn siŵr iawn drwy'r ddinas rwydd,
Iaith yr iau, iaith Porth y Rhyd
Ar Daf sy'n gwrido hefyd,
Yng Nghaerdydd mae'r broydd bras
Wedi uno mewn dinas.

Ym Môn bydd atgofion gŵyl
Caergybi inni'n annwyl,
Awn o'r wledd i roi ar led
Ddewiniaeth eich adduned,
Canu a lledu o'r llys
Y weddi yn gyhoeddus
A'i llais cyfrin hi'n barhad
Ar aceri tir cariad.

Crug y Llyw

(I ddiolch i Rhiannon ac Eurig am lety, haf 2007)

Rhydd cyngor ffrindiau gore
Y dynion llwyd yn eu lle,
Dynion llwyd sy'n fy rhwydo
Ym mreichiau dur cur y co',
Dynion llwydion fu'n lledu
Dros fy mron amheuon hy,
Nhw yw'r llen dros heulwen ha',
A nhw yw'r paranoia.

Lle o hyd sy' 'Nghrug y Llyw,
Lle hud i gyfaill ydyw,
Nid oes yma'r dwys amau,
Nid oes gennych chi eich dau
Ond sicrwydd cyfarwydd fel
Tŷ mewn rhyw gwmwd tawel
Ymhell bell o stormydd byd.

Eithafwyr a beirdd hefyd
Ddaw o'r lôn i glwydo'n glòs,
Daw dihirod i aros,
O nos i nos y dôn nhw,
Wrth yr hiraeth ar herw.

Pan nad oes gwawr lawr y lôn
A gwyll llidiog y llwydion
Y tu allan yn dannod,
Lle i feirdd yw'r lle i fod.

Y Llyfr Glas

Pwy yw Taliesin inni?
Has-been yw'n Aneirin ni,
Iolo Goch sy'n hel ei gôt
At y giatie, a Guto
('tai o'n fyw) eto'n ei fedd!
Ulw yw canu Heledd,
Siôn Cent sy'n flin, mae sŵn cad
A brain dros ab yr Ynad,
Ysbryd Nanmor a dorrwyd,
Englyn Llywelyn sy'n llwyd,
A, gyfaill ffraeth, daeth y dydd
Y dofwyd awen Dafydd.

Mae'r beirdd i gyd yn fudan
A braw a gwae lle bu'r gân,
Yn Llwydiarth cyfarth mae'r cŵn
Yn iasol uwchlaw'r sesiwn
Am i'r bardd glas dresmasu
Ar y ffin â'i ysgrif hy.

*   *   *

Pa ŵr a ŵyr am dai pren
Â rhew ar lwybrau'r awen?
Mae un o hyd sy'n mwynhau
Y daith drwy'r hen rwydweithiau,
Un sy'n gwybod bod y beirdd
O'u rhifo yn troi'n brifeirdd.
Un a fedd gynganeddion
Diedifar, llafar, llon,
Ynni cerdd sy'n bywiocáu
Y noddwyr mewn neuaddau.

I'r lliaws sêr eu llais wyt,
Tafodiaith ein twf ydwyt,
I Gymry, rhoist dros furiau
Eto awch i'w gwastatáu.

Y Llyfr Glas i farddas fydd
Yn eni, yn ddihenydd.
Yn nillad du canu caeth
Dygaist ei enedigaeth,
Rhown i'r awen aer ieuanc
A gwaith yr iau rhag ei thranc.
Dy ganu o'i rannu rydd
Ei dawn hi mewn crud newydd,
Awn ni o farwnadu'n ôl
I fedydd ein dyfodol.

01/03/06

Yn sŵn gwâr militariaeth
yn curo'i ddwylo fe ddaeth
y fendith ganddi hithau,
yr hawl nawr i lawenhau.

Nid senedd nad senedd sydd
yn glyd fel gwenu gwleidydd,
ni ddaw senedd o swnian,
o eiriau gwyllt brwydro gwan,
a dihyder yw gwerin
a gwlad nad yw'n plygu glin.

Â'r gynnau'n oer, gwenwn ni
am mai estron yw'n meistri.

Bwlch

(yng Ngogledd Iwerddon)

Y lôn a rwystrwyd eleni – ond gwn
    Fod gynnau ar dewi
  A gwn y newidiwn ni
  Iaith y weiren o'i thorri.

Derwen

Er nad yw'r gaeaf yn gaf'el yn dynn,
    A'i dail yn ddiogel,
  Rhewi a wna'r pren na wêl
  Y bwyyll tywyll tawel.

Argyfwng

(adeg cynlluniau Cyngor Gwynedd i gau ysgolion pentrefol)

Daethai her ei diwedd hi o'r tyllau,
    O'r tu allan iddi,
  Yn neuadd nawr, naddwn ni
  O'i mewn, nes chwalu'r meini.

Dwy Afon

(I Stephen a Maggie adeg eu priodas, Abergwaun, Awst 2007)

A'r Rheidol yn ddireidus, mae cyflwr
    y dŵr yn hyderus,
  a chydlifiad cariadus
  eich uniad chi'n llenwi'r llys.

Angor

I dynnu llun cydiwn yn llaw y tir
I greu tôn dros alaw'r
Glaw.

Yn nhir y tonnau arian mae rafins
Cymru ifanc yma'n
Dân.

Ar draeth sy'n genedlaethol, yn y man
Lle mae ias gorffennol
Yn ôl.

Lle mae'r afon yn cronni
Ei dagrau llwyd ger y lli',
Mae hanesion neon nos,
Mae rheg yn furmur agos,
A sŵn ein lleisiau heno
Fel gwydrau'n gwacáu'n y cof.

Rwy'n rhynnu! Yn rhyw hanner
Siffrwd a sibrwd i'r sêr,

Ac mae llais gwyllt gogleisiol
Y don oer yn sibrwd 'nôl,
Chwerthin, gwin, a sgwrs gudd
Yw ei hafiaith anufudd.
Ac yn y drefn anhrefnus –
Brawddeg ar frawddeg ar frys,
Enwau'n ymwáu at y môr
A'i eigion, llyfr yn agor.

Mae sŵn y môr lle mae tre'n angori,
Sŵn traeth oer eisoes yn troi a throsi,
Tonnau'n cydio fel sŵn gwynt yn codi
Yn ddwfn yng ngyddfau ein simneiau ni
A rhaffau a hwyliau'r heli'n clebran
Eu hen ystwyrian fel hanes stori.

Ar hanner stori roedd glaw yn crio,
A'r hen adroddwr yn crynu drwyddo,
Am fod lleisiau'r tonnau'n hollti heno
Roedd dyn ar ddyn yn troi oddi yno
O galedi i glwydo rhag sŵn dig
Y twrw unig sy'n taranu yno.

Hen Ŵr Amser yn nyfnder nos – sy'n troi
        Sŵn y trai diaros
    Ar graig, ar hen garegos
    Yn odl hardd, yn stori dlos.

Stori dlos dŵr adleisiol, – y stori
        Am ystwyrian oesol
    Tonnau oer, yn taenu'u hôl
    Ger y ffin â'r gorffennol.

Sŵn hanesion hen oesau – a gerfiwyd
        Ag arf gwyllt y tonnau,
    Ewyn arian ar lannau
    A'i iaith oer yn eu rhyddhau.

*   *   *

Arfordir lle mae hiraeth
Yn bod, lle mae dirfodaeth
Yn troi ei gwên tua'r traeth

Ydyw hwn, mae adenydd
Yn gysgodion aflonydd
Mor ryfedd bob diwedd dydd.

Cysgodion yfflon y nos
Yn heidio o farwydos
Traeth gwag i'r dafarn agos.

Mae hyder nos Fercher faith yn y gwaed,
Yn llygadu noswaith
O rannu ias yr un iaith
Beint wrth beint. Trown o'r bar i ganol
Y gwenu aflafar,
Drwy'r llwch i'r hyder llachar,
Drwy'r mwg a thrwy'r dirmygu, drwy'r cega
Ac yna trwy ganu,
A'r eisiau sy'n ein drysu.
Drwy'r wên nerfus, drwy'r gusan, a wedyn
Drwy'r peidio â boddran.
Ac yna, llithro allan
Drwy'r niwl, awn i fwydro'r nos. Awn ni
At neon yr hwyrnos
Sy'n igam-ogam agos.

Ninnau'n chwil, yn don o'i cho' – sy'n torri
A sŵn taran heno
Yn rhaeadrau o grwydro.

Twrw'n torri
Yn llais y lli',
Rôg a'i slogan,
Tri'n codi cân,
Gweiddi, goddef
Yn oer, yn nef
Ymgyrch, cyrchu
Hen fyd a fu.
Pont 'di paentio
Â choch o'i cho',
Cwyn ein cenedl
Yn chwil, yn chwedl.

I'r traeth mae cenedlaethau'n
Dod tu cefn i'n hanhrefn iau,
A ninnau'n gweld hunaniaeth
Yn y bar sy'n llachar llaith.

Ar drothwy'r môr angorwn.
Rhannwn iaith â'r penrhyn hwn,
Rhown i'r tir heno'r to iau,
Sŵn ein hanes a'n henwau
I'r ewyn gwyn, i ganu
Cywyddau o donnau du,
Englynion gwyllt i'r tonnau
A'r llanw'n ferw'n cryfhau.

Tonnau

Daw'r dryw, a duo'r awyr
yn y bae, yn ffrwydrad byr
yn gaeedig mewn gwydyr.

Gwydyr ewynnog ydyw,
a hyder hardd y dŵr yw,
dihareb oes mewn dŵr byw.

Gwydyr, er bod ergydion
a phwysau cadachau'r don
wedi'i olchi yn deilchion.

Sŵn ei ddŵr sy'n ddihareb,
direidus yw ystrydeb
sŵn dŵr y nos yn dir neb.

Ac uwch tymer ei gerrynt,
heno i wylio'i helynt
rhyw un gŵr sy'n nwrn y gwynt

yn mwynhau rhigymau'r gwyll
tawel, wrth donnau tywyll
trothwy'r hydref sy'n sefyll.

Ac wrth i'r traeth bach llachar
fagu llif y gwyll llafar,
ymleda cwmwl adar.

Pan fo crysau'r haf yn lliwio'r dafarn,
ac egni'n codi mewn lleisiau cadarn,
arllwys bîr yw lleisio barn – ar y byd
o droi i wynfyd y mwydro unfarn.

Dyma dafarn y barnwyr,
y criw bach sy'n gallach gwŷr
o gael peint, criw'r siglo pen,
a thafodiaith y fedwen,
yma'n bwrw, bwrw'r bar,
yn darogan dŵr hegar
ar draeth gwladwriaeth y dydd,
a garw fydd ei gerydd,
ei iaith yn gyfraith i gyd,
ei lif yn rheol hefyd.

Rhain yw'r floedd mewn llysoedd llaith,
rhain yw brain y bar uniaith.

Tafarn y tynnu'n ddarnau,
bar hwyr lle down i barhau
â thafodiaith ofidus
beint wrth beint, i bwyntio bys
fel rheithgor egwyddorol
cwrw oer wrth ddoc y crôl.
Ac yn nhymer llawnder llys
eu cyhuddo cyhoeddus,
cei ddwyfol ganmol y gwŷr,
a dedfrydu dy fradwyr.

Roedd gennym hyder yn y niferoedd
ym merw llawen tymer y lluoedd
am i garchar ddilyn eu hymgyrchoedd,
ond crys rhy weddus fu'r holl flynyddoedd,
yn gwrido wrth gofio ar goedd – iaith y sêr,
a iaith yr hyder yn eu gweithredoedd.

Pan grynai'r wlad dan eu protestiadau
yn fyr o ana'l, fel niwl ar fryniau,
nid oedd ystrydeb yn eu hwynebau,
roedd bloedd mewn llysoedd yn fwy na lleisiau,

ond du a gwyn ydyw gwenau llonydd
y llawenydd sy'n ddim byd ond lluniau.

Ac yn y lluniau mae gwên bellennig
â dawn i addo i wlad anniddig,
ond yn siwt swel y cof annelwig
nid lliwiau heriol yw'r gwrido lloerig,
henaint, a dawn arbennig – yw gwenu
a dal i wadu'n ysbrydoledig.

Mor fyr yw'r cof ac mor hawdd anghofio
am hanes y bont, am nos o beintio
am ffydd digywilydd a'r hawl i goelio
mewn ideoleg fel brwsh mewn dwylo,
am iaith yn gorymdeithio – res wrth res
wedi i hanes ddod i'w dihuno.

Rhoi heibio'r coelio a byw'r cywilydd
yw tyfu'n dew ar y Gymru newydd,
â'r gallu i wadu a byw yn ddedwydd
mewn byd sy'n glyd fel atebion gwleidydd.
Ei ffawd ydyw colli ffydd – mewn geiriau
a throi'r holl luniau'n ddieithr a llonydd.

Mae'r adar yn gyfarwydd
gydag iaith yr araith rwydd,
areithiau'r arwr eithaf
yn grymuso brwydro braf,
yn iau roedd ei chwyldro'n nes
na lluniau unlliw hanes.

Ond dadrithiwyd areithio'i
sloganau dieiriau o.

Ac fe enir dihiryn
ym marw'r arwr ei hun.

Byw yn rhy fodlon ein byd – ar hen dir
    Ein daeareg gysglyd
    Yw byw treialon bywyd
    Ar dir hallt bradwyr o hyd.

Ond mae gerwinder pob cerrynt – yn troi
    Erwau'r traeth yn Epynt,
    Neidio'r ebolion ydynt,
    Marchogion yr eigion ŷnt.

Y mae angor pob morwr – ar rwygo,
    Ac yn rhegi'r merddwr,
    Yn y wendon mae dwndwr
    Curiadau pedolau'r dŵr.

Diferion llid y foryd – fast i fast
    Fel ar fwng yn ysgwyd;
    Ac â'r tonnau'n garnau i gyd
    Sŵn y môr sy'n ymyrryd.

Yn dwrw oer dyma'r drin – ar fyrddau,
    Her i feirdd Aneirin,
    Dyma'r gad ym merw'r gwin,
    Dyma yfed Mehefin.

Mehefin trwm o ofid, – ond hafaidd
    Yw twf yr ieuenctid,
    Ac mae awen gynhenid
    Yn heulwen lawen o lid.

Ac er bod gwên lawen ar li heulog,
    Dyma filwyr wrthi'n
    Llys Mynyddog yn hogi,
    Ar wydrau, ein harfau ni.

Arfau ein cân wahanol yw'r awen,
    Yr un trawiad oesol,
    Dyma dân a ffwdan ffôl
    Ein cân ifanc hynafol.

Hynafol yw'r don hefyd, – yn nefoedd
    Hynafol fel clefyd,
    Yn ddablen nes bod ennyd
    Yn gwylltio'n neon o hyd.

Dan y neon aflonydd – yn y stryd
    Sy'n ystrydeb beunydd,
    Trwy hen raid daw'n tir yn rhydd,
    Tir ac ewyn tragywydd.

Torri'n rhydd a'n traw yn rheg – i nos chwil
    Nes chwalu rhesymeg,
    Ymryddhau o'r dechrau'n deg,
    A'r stryd ar hast i redeg.

Ni yw'r rhedeg a'r gwrido – yn wyneb
    Trai ewynnog heno;
    Nes canfod man o dan do
    Ni yw'r rheidrwydd i frwydro.

Ond 'rôl blino brwydro, bron – ni yw broc
    Ag ôl brwnt cysgodion,
    Ni yw cregyn terfyn ton,
    A ni yw'r lampau neon.

Dihuno'n wag. Traed yn o'r,
llygaid yn pallu agor,
gweld sêr a gweld hanner haf
llachar fel bwyell wychaf

y gwanwyn, hanner gwenu
am beth oedd beth man lle bu
'na nofel chwil i'w dilyn
yn ei gof. Dalennau gwyn
sy'n ei lle, ein bore bach
yn egni ac yn rwgnach.

Ond mae chwiban wahanol
yn gur o gysur, i gôl
glyd y gang wrth glywed gwŷs
y rali afreolus
un wrth un trwy wythiennau
eu tref oer, heidia'r tyrfâu.

Daw adar y corn siarad
o'r awyr glir i lawr gwlad,
i nacáu ralïau'r co'
y daw'r adar diwrido.

Mae chwyldro'r iaith yn torri
ar draeth ein cenhedlaeth ni,
ar draeth plant y rhamantu.

Ugeiniau dewr gwyn a du –
rhieni, lle mae'r hanes
yn llai o hyd, er ein lles.

Er mor wyn eu hewyn nhw,
llinell o hyd yw llanw
inni wthio'n aflonydd
ei dŵr at ddiben y dydd.

A sŵn gwâr ein cynddaredd
yw'r hen ddŵr ar newydd wedd.

Tra bo chwyldro'n y tonnau,
nos wrth nos yn llawenhau
a'i dwrw'n gwrw i gyd
yn tyfu'n fwriad hefyd,
sŵn tonnau sy'n ein tynnu
i dwrw dwfn o drai du.
Y rhaid wrth chwyldro ydynt,
tonnau oer pen tennyn ŷnt.

Ond wrth lusgo eto'n ôl
a thyfu yn eithafol,
daw i'w llif dywod ifanc
yn troi i wynebu'u tranc,
troi o gyffion traeth Ionawr
i droi ymysg y dŵr mawr.

Dan glochdar yr adar rhydd
o dan donnau adenydd,
dros graig ddiddos arhosol
dônt i lifo eto'n ôl,
a'r hawl i fynnu parhad
ydyw rhaid eu herydiad.

Gobaith

Gan y bu gaeaf eithafiaeth yn hir
    Bydd haul radicaliaeth,
  A oedd i gelloedd yn gaeth,
  Yfory'n haul deddfwriaeth.

Beddargraff Iâr

Yn rasol iawn ar sawl ŵy – esgorodd
    Gan sgwario'n yr adwy,
  Rhoes wyn a melyn a mwy,
  Ond yn *dead* nid yw'n dodwy.

Swyddfa Bost

(yn Nulyn)

Yn heddychlon, rwy'n honni mai hanes
    Yw'r maen, ac wrth gochi'n
  dweud a dweud nad ydw i'n
  dod o blaid ei bwledi.

Stryd Pleser

SEIRENAU

Pa awr o'r nos yw hi
pan fo seirenau'n gysur unig?
Seirenau'n consurio haenau o glydwch,
pa awr o'r nos yw hi pan wyf i'n llonydd,
yr unig beth llonydd yn y trobwll hwn?
Pan fo munudau'n oriau
a'r tacsis yn tasgu,
y ddinas yn chwydu
a'r wynebau'n chwyrlïo,
yn toddi i'w gilydd yn eu rhuthr hir.

Mae'r nos yn closio ataf,
yn fy nal yn ei breichiau
o goncrit a goleuni,
yn dweud fy mod yn rhan ohoni,
na fyddaf eisiau fyth
am fy mod yn gorwedd mewn
porfeydd neon,

a daw'r seirenau i'm cysuro
unwaith eto.

YR ABER

Mae'r cymoedd yn gwacáu,
ac afonydd yr wythnos
yn tywallt i fôr nos Sadwrn,
lle mae'r ewyn yn y gwydrau'n
chwerw,
ond fe'i llowcir yr un fath.

Mae ymchwydd y cefnfor
dinesig yn eu denu,
blas rhyddid
yn yr heli ar yr awyr,
ac oglau gwymon
ar y mwg,
am benwythnos.

Bore Sul mae'r eogiaid
yn dychwelyd
i'w magwrfeydd,
yn neidio o drên i drên
i baratoi am wythnos arall
yn yr afonydd araf,
lle mae gronynnau'r glo
yn dal i lynu
yn eu tegyll.

LLYFRAU

Mae'r llyfrau lledr,
fel lluniau'r dociau
a hysbysebion y pumdegau
yn addurno Sadyrnau'r ddinas,
a phob tafarn newydd yn llyfrgell
tra bod pob llyfrgell yn wag,

dyma *kitsh* nos Sadwrn,
rhywbeth i lanw silff
a gosod y cilcyn yma o'r ddinas ar wahân
i'r mannau brwnt, gonest,
sy'n gwybod eu bod nhw'n dafarndai,
lle mae *Echo* ddoe yn dal ar y bar,
a'r perchennog heb beintio
dros staeniau'r sigaréts.

Y TYNNWR LLUNIAU

Ddoe bûm yn ddyfal yn tynnu lluniau
cefn gwlad Cymru,
ac roedd y du yn dduach a'r gwyn yn wynnach
nag y bu o'r blaen,
y bunt estron a'r geiniog leol yn cyferbynnu
mor finiog ag erioed.

Yma, ar fertebrâu'r ddinas,
ychydig gamau o'r meingefn neon,
lle mae'r alcohol a'r carlo, a'r carlo a'r alcohol
a'r 'dwi ishe lein-iawn dere-cistern-papur-chwyrlïo,'
yn curo â churiad cyflym,

gwelais y negatif.

Yma lle mae'r gwaed yn llifo'n ôl
i'r Waun Ddyfal a Threganna
yn uchel ara'
am dri y bore,
gwelais y negatif –
y gwladychu derbyniol,
y bunt dosbarth canol bbc/htv/s4c,
a cheiniog y werin
wedi ei gwthio ymaith i sŵn ein chwerthin,
gan ein bod yn gwladychu ein dinas ni,
o'r diwedd.

Ond pa hawl sy gen i i farnu,
dim ond tynnwr lluniau ydw i.

SODLAU

Mae'r sodlau'n cychwyn martsio
unwaith eto,
yn cadw amser
â phrysurdeb tipiadau'r cloc,
a dwi'n pwyso ar y wal,
yn methu dal 'run ideoleg
ond ideoleg grynedig y jd nesa,
ac wrth sefyll ac edrych,
sefyll ac edrych
ar y gwenau'n y gwydrau
mae'r synnwyr yn toddi'n sŵn
y sgwrs yn fy nghlust yn tawelu
a dwi'n anwybyddu
pob un dim
heblaw sŵn y sodlau'n cychwyn martsio
unwaith eto.

PORTREAD MEWN TYWYLLWCH

Mae hon yn sgleinio'n
ddisgleiriach yn y tywyllwch,
pan fo'r byd o'i hamgylch fel y fagddu
mae lleufer ei chroen
yn dallu'n llawnach,

fel darn o wydr mâl
wedi ei ddal yn llygad yr haul,
ni fedrwn edrych arni
ond o gornel fy llygad,

ac yna gweld goleuni'n
unig
am eiliad,
wrth i'r sodlau stacato
nesáu.

HALO

('Prostitues go to heaven. It's their clients that go to hell.'
        —David Lachappelle)

Does dim Cymraeg rhyngddi a'i dinas,
dim rhagor,
arferent barablu â'i gilydd,
cyfarfod am sesiwn
ar y teils bob nos Sadwrn,
yn Walkabout a Spoons
a Tiger Tiger,
trio'i lwc gyda'r byd
a llwyddo weithiau.

Does dim Cymraeg rhyngddi hi a'i dinas nawr,
ond nid gelynion mohonynt –
mae'r ddau'n manteisio
ar dywyllwch ei gilydd,
ar stafelloedd y meddwl
lle mae'r llenni ynghau
drwy gydol y dydd,
y parciau nodwyddog
lle nad oes golau
ond golau'r ceir yn fflachio'n
awgrymog.

Ac unwaith eto heno,
mae'r stryd fawr yn ymbellhau,

y chwerthin yn cilio
a thawelwch gwichlyd
stafelloedd y strydoedd cefn
yn agosáu.

Pe bawn wedi edrych i'r ochr
am eiliad,
wrth frysio heibio'r
stryd dywyll,
mi welwn wawr goch ysbeidiol
yn gylch am ei phen isel.

PONT

Ni allai waliau eu gwahanu'n well,
yr *high rise* agos a'r tai teras pell,
a rhwng y ddau rydw i ar goll.

Mae'n ffin rhwng y storom a heulwen haf,
a dim ond dyfroedd duon Afon Taf
sy'n gwybod p'un sy'n uffern, p'un sy'n nef.

Ond wrth wylio'r llif, mi ydw i'n siŵr
y gwêl y ddinas, rhyw ddydd, yr un dŵr
yn codi'n un dros y concrit, a'r holl dir.

Y SHIFFT HIR

Mae'n shifft hir arall
o edrych drwy lygaid yr *optics*
ar y ddinas,
a'i gweld hi'n meddwi,

shifft hir arall
o ysu
am gael bod yn eu canol,

shifft hir arall
o symud i fyny ac i lawr
ac i lawr ac i fyny'r bar,
penderfynu pwy sy nesa,
pigo'r merched perta
a gwledda ar y gwenau,
a gwthio amynedd
y dynion i'r pen,

shifft hir arall
o ddal y noson ddinesig
fel y newid yng nghledr ei law,

shifft hir arall
o gyfri' oriau
fel ceiniogau
tuag at sesiwn
neu at wair,
neu well,

i gael anghofio
am y shifft hir nesaf.

GWAED

Heno mae'r stryd yn ymestyn
yn wythïen
o Dreganna dros yr afon
ac at galon
y golau,

ac mae gwaed Sir Gâr
a Cheredigion,
a Gwynedd,
yn meddwi ar ocsigen eu mabinogi
yn ysgyfaint y ddinas,
ac yn ei gludo at guriad
ei chanol.

Ac yn y gwaed mae gwenwyn,
gwenwyn Gwynedd
a Cheredigion a Sir Gâr,
y gwenwyn
fel moddion a medd,
gwenwyn hyfryd y tafodieithoedd
wedi ei godi o'r pellafion
gan y gwaed
i gymysgu
gyda'r gwaed o bedwar ban.

Os yw'r galon yma'n curo'n iach,
ei strydoedd yn goch
gan eu geiriau,
y gyrwyr tacsis a bysus,
y bechgyn tu ôl i gownteri McDonalds,
y cyplau â'r haf yn eu gwallt
ym Mharc y Rhath,
bechgyn Ramones
a merched yr Aes
sydd fel blerwch anhygoel yr hydref,

os bydd y rhain
yn teimlo gwenwyn pur Cymraeg
yn ddwfr ar eu genau

bydd y gwaed yn dychwelyd
at y cymunedau,
ac egni eu straeon
yn fwrlwm,
yn fywiocáu.

Y NEUADD NEWYDD

Awn i chwarae yng nghynteddau'r tywyllwch
a gwylio'r goleuadau'n
ymffurfio'n gymuned.

Awn i siarad ac i gynllwynio
gyda'r cysgodion
ac ymgasglu'n fintai Gymreig

yn neuaddau nodded
ein mabinogi ni.

Awn ni
at gorneli'r nos
a'u meddiannu,
yn feddw,
yn hapus ar gyfeiliorn,
a Stryd y Santes Fair
yn crynhoi'r gwasgaredig
yn ei breichiau,

yn ein tynnu at ein gilydd
o'r strydoedd diwyneb.

Pe deuai'r gad heno,
pe deuai Owain
a mynnu ein bod yn ei ddilyn
yn y bore bach,

byddai chwyldro yfory,

a mwy na thri chant
yn martsio
at y wawr newydd.

HENO

Heno mae'r brifddinas yn mudlosgi,
a fflamau Cymreictod yn bygwth
llyfu waliau'r castell,
herwyr â rhaffau hyderus
eu hieuenctid
yn dringo dros y tyrau,
yn codi eu baneri
eu hunain
fyny i'r gwynt,
fel y gall Cymru
gyfan eu gweld
yn cyhwfan dros ei dinas rydd.

Newid

Er synhwyro sŵn hiraeth
Yn aros dros yr hen draeth,
A chryfder Amser ei hun
Yn y graig uwch ei gregyn
Yn llyfnhau curiadau'r oes,
Nacáu afiaith y cyfoes
Fel wyneb diateb dur,
Yn unfarn, yn wahanfur,
Fe ddaw rhyw araf grafu
I ddatod ei dywod du,
Hen dywod-siwtiau duon
Wedi'u dal yn chwyldro'r don.

Daw'r dŵr o hyd ar dir hŷn,
I'w erydu'n gry' wedyn,
A rhyw wynt o'r môr o hyd
Yn tyfu'n gorwynt hefyd,
Yn gryf, fel grym sagrafen
I droi y byd ar ei ben,
Gwynt fel cerrynt yn cario
Y tir ei hun rownd y tro.

Er mor oesol yw'r dolydd
Y mae rhaid y storom rydd
A'r gwynt sy'n rhegi'i hanterth
Yn gwanhau y graig â'i nerth.

Awn â'r sŵn at y tir sydd
Yn dawel heb ryw dywydd,
Heb ruo byw yr ewyn,
Awn o'r swnt at y tir syn,
Cyn dilyn galwad y don
A malu'r hen ymylon.

Darlun

Rwy'n bod fel rhes o godau,
Yn un rhif mewn cyfrif cau,
Gwnaed i mi, yn gnawd mwyach,
Y data mân, bychan, bach,
O'u cau yn y ffeiliau cudd,
O'u creu nhw fel croen newydd
Mae lluniau a'm holl hanes
Yn rhifau llwyd, er fy lles.

Y sgrin hon yw f'esgyrn i,
Wyneb a wnaed ohoni,
Wyneb yr holl ddarluniau
Sy'n un rhif mewn cyfrif cau.

Banerog

Mae'r gwynt yn ffyrnig, fel chwip fendigaid,
Yn oeri gweflau, yn sur ei goflaid,
Awn er hynny i ralïau'r enaid
I'r stryd, gam wrth gam, a phob yn damaid
Awn eto i droedio, o raid – yn befriog,
Yn ŵyl fanerog, fel afon euraid.

Am restr gyflawn o lyfrau'r Lolfa, mynnwch
gopi o'n catalog newydd, rhad –
neu hwyliwch i mewn i'n gwefan

www.ylolfa.com

lle gallwch archebu llyfrau ar lein.

y Lolfa

TALYBONT CEREDIGION CYMRU SY24 5HE
ebost ylolfa@ylolfa.com
gwefan www.ylolfa.com
ffôn 01970 832 304
ffacs 832 782